はじめに

食品の表示は、消費者に食品の安全性の確保や食品選択の機会を確保する大切な役割を果たしています。そのため、規定に基づき正しく記載することが重要となりますが、これまで食品表示については「食品衛生法」、「日本農林規格等に関する法律（JAS法）」および「健康増進法」の3法により別々に定められていたこともあり、重複する部分や用語の使い方に違いがあるなど、消費者や食品等事業者にとって複雑でわかりにくいものでした。そうしたことを受け、平成23年の9月より消費者庁を中心に食品表示の一元化について検討が進められ、3法にある表示に関する規定について一括総合整理した「食品表示法」が公布・施行されました。

具体的な表示方法は、「食品表示基準」（内閣府令）で定められています。「食品表示基準」は全766ページに渡り、食品の表示についての規定が細かく示されており、一見して全体を把握するのは大変なものとなっています。

そこで、食品衛生教育シリーズでは、食品表示基準のポイントを項目に分けて解説・発刊しています。本書は基本的な表示のルールとなる消費者向けの食品（一般加工食品）の義務表示について解説した内容となっております（令和5年4月に施行される新たな遺伝子組換え表示制度まで収載）。消費者向けの食品（一般加工食品）の義務表示の全体像を把握し、食品表示制度の理解にお役立ていただければ幸いです。

1 食品表示法

1 食品表示法の施行

食品表示は、「食品衛生法」、「日本農林規格等に関する法律（ＪＡＳ法）」および「健康増進法」の3法により別々に定められていましたが、よりわかりやすい制度とするため3法から表示に関する規定を抜き出して「食品表示法」としてまとめられ、平成２５年6月28日に公布、平成27年4月1日に施行されました。これに伴い平成２7年3月２０日には、具体的な表示事項や表示方法等を定めた「食品表示基準」（内閣府令）が公布され、同じく4月1日に施行されました。

なお、食品表示に関する規制を設ける「不当景品類及び不当表示防止法（景品表示法）」、「計量法」および「医薬品、医療機器等の品質、有効性及び安全性の確保等に関する法律（旧薬事法）」については従前どおりの取扱いとなります。

2 食品表示法の概要

① 食品表示法の「目的」（食品表示法第１条）

食品表示法は食品を摂取する際の安全性および一般消費者に自主的かつ合理的な食品選択の機会を提供することを目的としています。

② 食品表示法における用語の定義（食品表示法第２条）

第2条には、「食品表示法」において用いる用語の定義が定められています。

●**食品**：医薬品、医薬部外品および再生医療等製品を除いたすべての飲食物（食品添加物 を含む。）のことをいい、酒税法第 2 条第 1 項に規定されている「酒類」も含まれます。

●**食品関連事業者**：食品の製造、加工（調整および選別を含む）、もしくは輸入を業とする者（当該食品の販売をしない者を除く。）または食品の販売を業とする者。前述のほか、食品の販売をする者。

③ **基本理念**（食品表示法第３条）

食品表示法に基づく食品表示制度は、消費者の権利（安全確保、選択の機会の確保、必要な情報の提供）の尊重および消費者の自立の支援を基本とすることを基本理念として規定されています。

一方で、食品表示は事業者に対し相応のコストをかけて遵守する義務を課すものであるため、表示基準を遵守するための負担が相対的に大きい小規模の食品関連事業者の活動、食品関連事業者間の公正な競争の確保といったことに対する配慮規定も設けられています。

3 従来の制度からの主な変更点

1. 加工食品と生鮮食品の区分の統一
2. 製造所固有記号の使用に係るルールの改善
3. アレルギー表示に係るルールの改善
4. 栄養成分表示の義務化
5. 栄養強調表示に係るルールの改善
6. 栄養機能食品に係るルールの変更
7. 原材料名表示等に係るルールの変更
8. 販売の用に供する添加物の表示に係るルールの改善
9. 通知等に規定されている表示ルールの一部を基準に規定
10. 表示レイアウトの改善
11. 新たな機能性表示制度の創設

2 食品表示基準

1 食品表示基準の構造

具体的な表示ルールは、食品表示基準（内閣府令第10号）に定められています。

食品表示基準は全5章からなり、「第1章 総則」では食品表示基準の適

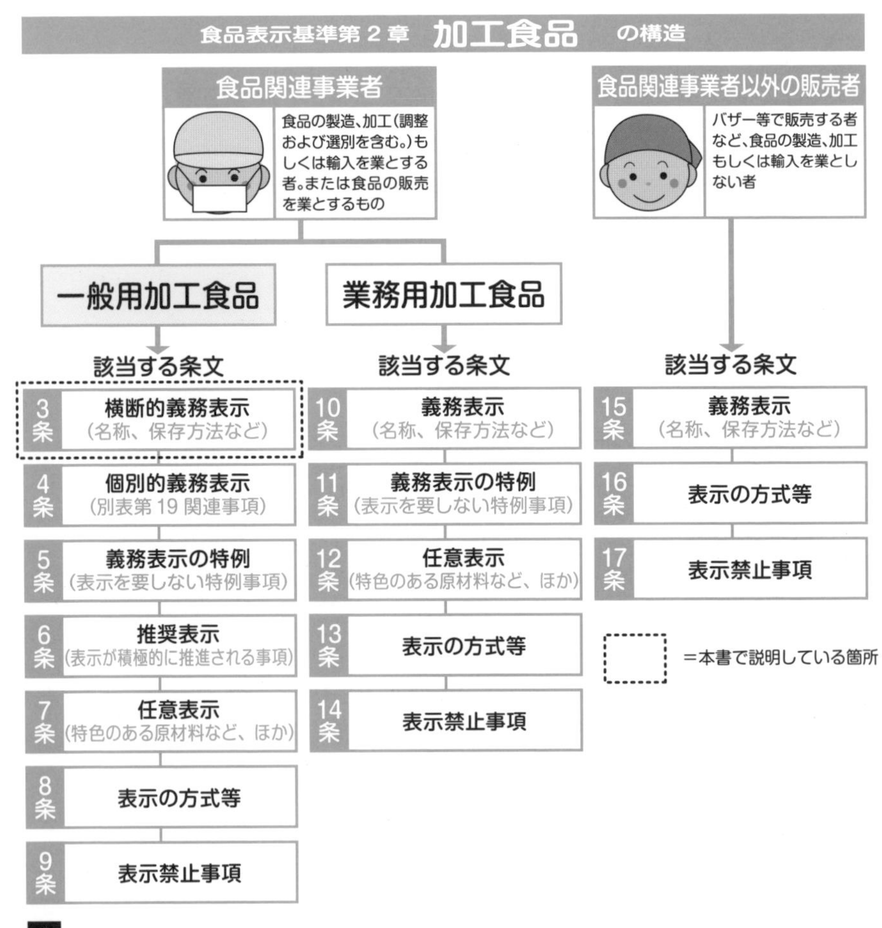

用範囲と用語の定義が示されています。以降、「第2章 加工食品」、「第3章 生鮮食品」、「第４章 添加物」、「第5章 雑則」に区分されそれぞれ表示事項および守らなければならないこと等が定められています。

「第2章 加工食品」および「第3章 生鮮食品」は「食品関連事業者」と「食品関連事業者以外の販売者」に係る基準に区分され、それぞれの区分の中で、「義務表示（横断的義務表示、個別的義務表示、義務表示の特例）」、「表示の方式」、「表示の禁止事項」等が規定されています。

消費者向けの食品（一般用加工食品および一般用生鮮食品）の義務表示は、まず共通ルール（横断的義務表示：第3、18条）がまとめられており、次に個別的な規定（個別的義務表示：第4、19条）が規定されています。共通ルールは、すべての食品に表示しなければならない事項（第3、18

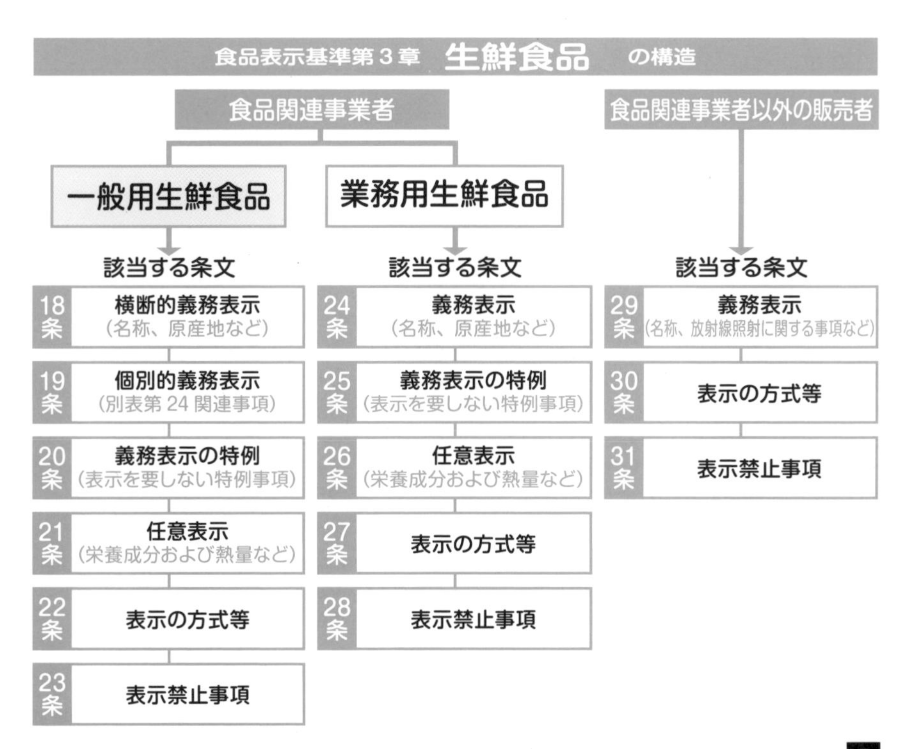

条の各第1項）と、一部の食品に表示が義務付けられている事項（同・各第2項）に分けて規定が設けられています。

「第4章添加物」も「食品関連事業者」と「食品関連事業者以外の販売者」に区分され、それぞれ表示事項が規定されています。

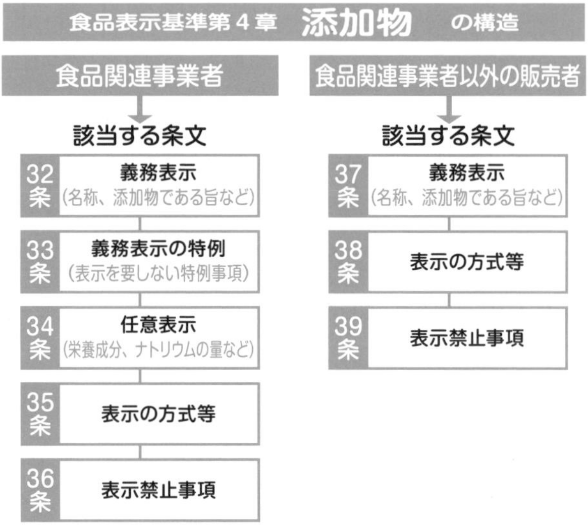

食品表示基準第4章 添加物 の構造

食品関連事業者	食品関連事業者以外の販売者
該当する条文	該当する条文
32条 義務表示（名称、添加物である旨など）	37条 義務表示（名称、添加物である旨など）
33条 義務表示の特例（表示を要しない特例事項）	38条 表示の方式等
34条 任意表示（栄養成分、ナトリウムの量など）	39条 表示禁止事項
35条 表示の方式等	
36条 表示禁止事項	

附則 【別表一覧】

別表第1 食品表示基準の対象となる加工食品を定めるもの
別表第2 食品表示基準の対象となる生鮮食品を定めるもの
別表第3 食品表示基準の対象となる食品に係る定義を定めるもの
別表第4 横断的義務表示事項に係る個別のルールを定めるもの
別表第5 名称規制に係る食品及びその名称を定めるもの
別表第6 添加物の用途を定めるもの
別表第7 添加物の物質名の代替となる語（一括名）を定めるもの
別表第8 食衛法施行規則別表第1に定める名称を用いない添加物の類を定めるもの
別表第9 栄養成分及び熱量の表示単位、測定法、許容差の範囲及びゼロと表示できる場合の含有量を定めるもの
別表第10 栄養素等表示基準値を定めるもの
別表第11 機能を表示できる栄養成分について定めるもの
別表第12 栄養成分の補給ができる旨の表示の基準値を定めるもの
別表第13 栄養成分又は熱量の適切な摂取ができる旨の表示の基準値を定めるもの
別表第14 特定原材料を定めるもの
別表第15 原料原産地表示の対象食品を定めるもの
別表第16 遺伝子組換え対象農産物を定めるもの
別表第17 遺伝子組換え対象加工食品を定めるもの
別表第18 特定遺伝子組換えに係る形質、対象加工食品、対象農産物を定めるもの
別表第19 一般用加工食品の個別的表示事項を定めるもの
別表第20 様式、文字ポイント等表示の方式等の個別ルールを定めるもの
別表第21 牛乳の切り欠き表示の様式を定めるもの
別表第22 個別の食品に係る表示禁止事項を定めるもの
別表第23 業務用加工食品の容器包装に表示しなければならない事項を定めるもの
別表第24 一般用生鮮食品の個別的表示事項を定めるもの
別表第25 業務用生鮮食品の容器包装に表示しなければならない事項を定めるもの

3 一般用加工食品の表示

1 表示のレイアウト

表示は消費者が必要とする表示を確認しやすいように、原則として表示基準別記様式1により一括表示欄を設けて表示することが基本とされています。

〔別記様式1〕

名称	←品名、品目、種類別、種類別名称とも表示することができます
原材料名	
添加物	←添加物欄をもうけず原材料名の欄に原材料名と明確に区分して表示することができます
原料原産地名	←原料原産地名欄をもうけず対応する原材料名の次に括弧を付け表示することができます
内容量	
固形量	
内容総量	
消費期限	←賞味期限を表示すべき場合は賞味期限とします
保存方法	
原産国名	
製造者	←場合に応じて販売者、加工者、輸入者とします。食品関連事業者の氏名または名称および住所を表示します

2 一般用加工食品の義務表示事項

主に食品表示基準第3条第1項・第2項、第4条（別表第 19 関連事項）に規定され、第3条第1項は全ての加工食品に表示が義務付けられている表示事項（共通ルール）、第2項は一定の要件に該当する場合に必要な表示について定められています。本書ではこの2つの項について説明します。

食品表示基準（原文）

第3条　食品関連事業者が容器包装に入れられた加工食品（業務用加工食品を除く。以下この節において「一般用加工食品」という。）を販売する際（設備を設けて飲食させる場合を除く。第六条及び第七条において同じ。）には、次の表の上欄に掲げる表示事項が同表の下欄に定める表示の方法に従い表示されなければならない。ただし、別表第四の上欄に掲げる食品にあっては、同表の中欄に掲げる表示事項については、同表の下欄に定める表示の方法に従い表示されなければならない。《表　略》

2　前項に定めるもののほか、食品関連事業者が一般用加工食品のうち次の表の上欄に掲げるものを販売する際（設備を設けて飲食させる場合を除く。）には、同表の中欄に掲げる表示事項が同表の下欄に定める表示の方法に従い表示されなければならない。《表　略》

2-1 容器包装に入れられた加工食品を販売する際に表示が必要になる事項（第３条第１項）

1. 名　称　共通ルール

表示をしようとする加工食品の内容を表す一般的な名称を表示します（注：商品名ではありません)。ただし、乳（生乳、生山羊乳、生めん羊乳および生水牛乳を除く。）および乳製品は「乳及び乳製品の成分規格等に関する省令」（昭和 26 年厚生省令第 52 号）第 2 条の定義に従って種類別を表示します。なお、食品表示基準別表第4において、別途名称の表示方法が定められている食品はそれに従って表示します。また、別表第5で定められた食品の名称は、その加工食品以外に使用することはできません。

2. 保存の方法　共通ルール

開封前の保存方法を、食品の特性に従って表示します。

表示例	直射日光、高温多湿を避けて保存してください 10℃以下で保存してください

3. 消費期限または賞味期限　共通ルール

① 消費期限

品質（状態）が急速に劣化しやすい食品は消費期限の文字を付けてその年月日を年月日の順に表示します。

表示例	消費期限 平成 28 年 4 月 1 日 ＊28.4.1、2016.4.1、16.4.1 と表示することも可 ＊1.4.28（日 . 月 . 年の順）に表示することは不可

【対　象】 弁当、調理パン、そうざい、生菓子類、食肉、生めん類等

② 賞味期限

①以外の食品は賞味期限の文字を付けてその年月日を表示します。ただし、製造または加工の日から賞味期限までの期間が 3 ヶ月を超える場合は年月のみの表示とすることができます。

■賞味期限が3ヶ月以内の場合

表示例	賞味期限 平成28年6月29日 ＊28.6.29、2016.6.29、16.6.29 と表示することも可 ＊29.6.28（日 . 月 . 年の順）と表示することは不可

■賞味期限が3ヶ月以上の場合

表示例	賞味期限 平成28年6月 ＊28.6、2016.6.、16.6. と表示することも可

【対　象】 スナック菓子、即席めん類、缶詰、牛乳、乳製品等

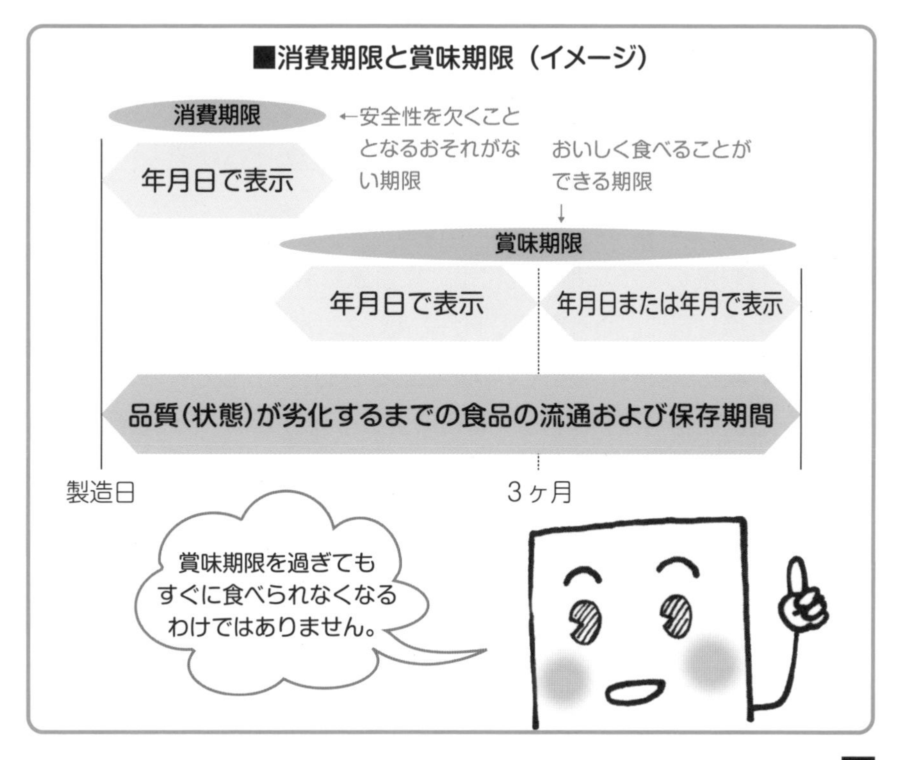

4. 原材料名　共通ルール

① 使用した原材料に占める重量の割合の高いものから順に、その最も一般的な名称で表示します。

●例えば… 食パンの原材料名を表示する場合

※食パンの原材料（例）

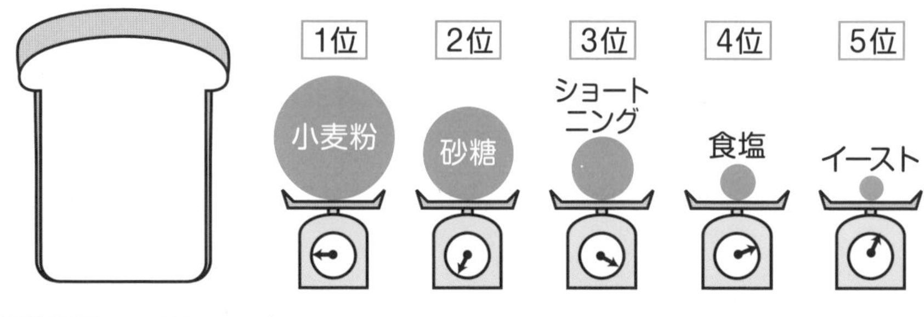

表示例	原材料名	小麦粉、砂糖、ショートニング、食塩、イースト

② 2種類以上の原材料からなる複合原材料を使用する場合は、その複合原材料名の後ろに括弧を付け、複合原材料中の原材料名を複合原材料の原材料に占める重量の割合の高いものから順に表示します。

なお、複合原材料については次のとおり省略することができます。

ア．複合原材料の原材料が3種類以上ある場合には、その複合原材料の原材料に占める割合の高い順が3位以下であって、かつ、その割合が5％未満である原材料について「その他」と表示することができます。

イ．複合原材料の製品の原材料に占める重量の割合が5％未満である場合、または複合原材料の名称からその原材料が明らかである場合には、その複合原材料の原材料名の表示を省略できます。

●例えば… 複合原材料として使用したマヨネーズを表示する場合

※複合原材料であるマヨネーズの原材料（例）

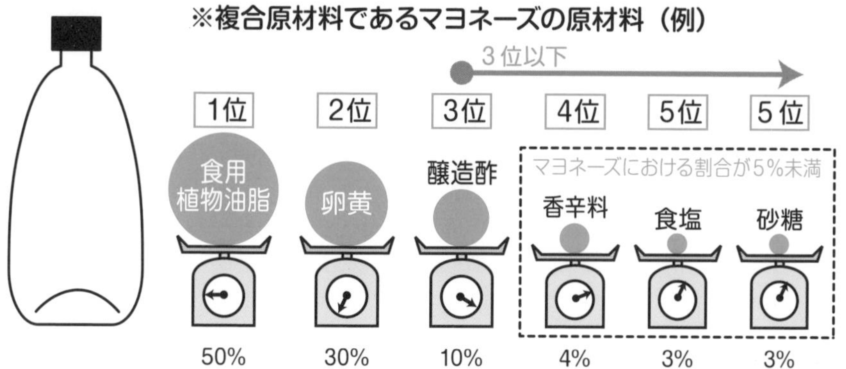

■ 基本の表示

表示例	○○、□□□、マヨネーズ（食用植物油脂、卵黄（卵を含む）、醸造酢、香辛料、食塩、砂糖）、△△△△、××

■ 複合原材料の原材料に占める割合の高い順が3位以下で、かつ、その割合が5％未満である「香辛料、食塩、砂糖」を「その他」と表示する場合

表示例	○○、□□□、マヨネーズ（食用植物油脂、卵黄（卵を含む）、醸造酢、その他）、△△△△、×× ＊醸造酢は重量割合が3位以下ですが、5％以上使用されているため「その他」と表示できません。

■ 使用したマヨネーズの最終製品に占める割合が5％未満の場合

表示例	○○、□□□、△△△△、××、……、マヨネーズ（卵を含む） ＊なお、マヨネーズについては「複合原材料の名称からその原材料が明らかである場合」に該当するため、複合原材料の原材料表示を省略することも可能です。

③ 単に混合しただけなど、原材料の性状に大きな変化がない複合原材料を使用する場合は、①および②の表示方法によらず、構成する原材料を分割して表示することができます。

複合原材料を分割して表示できる場合は、次のア．もしくはイ．の条件をふまえ、総合的に判断します。

ア．中間加工原料を使用した場合であって、消費者がその内容を理解できない複合原材料の名称の場合

イ．中間加工原料を使用した場合であって、複数の原材料を単に混合（合成したものは除く。）しただけなど、消費者に対して中間加工原料に関する情報を提供するメリットが少ないと考えられる場合

●例えば… 砂糖、ココアパウダー、アーモンドパウダー、食塩を混合した複合原材料「ココア調製品」を仕入れ製造したクッキーを表示する場合

■ 複合原材料表示による方法

表示例	小麦粉、ココア調製品（砂糖、ココアパウダー、その他）、バター、鶏卵／膨張剤

■ 分割して表示する場合

表示例	小麦粉、バター、砂糖、鶏卵、ココアパウダー、アーモンドパウダー、食塩／膨張剤

なお、複合原材料の一般的な名称が存在する場合や性状に大きな変化がある場合は、もとの原材料に分割して表示することはできません。

【例】皮と餡を仕入れて製造したどらやきの原材料表示

○適切な表示例：皮（卵、小麦粉、砂糖）、つぶあん（砂糖、小豆、水あめ、寒天）／膨張剤

○不適切な表示例：砂糖、卵、小麦粉、小豆、水あめ、寒天／膨張剤

④ ①から③までに関わらず、同種の原材料を複数種類使用する場合や複数の加工食品により構成される場合には、原材料に占める割合の高い順に表示した「野菜」、「食肉」、「納豆」、「添付たれ」などの原材料の総称を表す一般的な名称の次に括弧を付けてそれぞれの原材料に占める割合の高いものから順に、その最も一般的な名称を表示することができます。

⑤ なお、食品表示基準別表第４ 横断的義務表示事項に係る個別のルールを定めるもの において、別途原材料名の表示方法が定められている食品は、それに従って表示してください。

5. 添加物　共通ルール

栄養強化の目的で使用されるもの、加工助剤、キャリーオーバーを除き、添加物に占める重量の割合の高いものから順に、その添加物名（食品表示基準別表第６ 添加物の用途を定めるもの に掲げられた添加物を含む食品には物質名および用途）を表示します。

物質名の表示には、一般的に広く使用されている名称または一括名（食品表示基準別表第７ 添加物の物質名の代替となる語（一括名）を定めるもの）を表示することができます。また、複数の加工食品により構成される加工食品は、食品の構成要素ごとに添加物を表示することができます。なお、食品表示基準別表第４において、別途添加物の表示方法が定められている食品はそれに従って表示しなければなりません。

※添加物については、事項欄を設けずに原材料名の欄に原材料と明確に区分して表示することができます。

■【表示例1】原材料と添加物を記号で区分して表示

原材料名	豚ばら肉、砂糖、食塩、卵たん白、植物性たん白、香辛料／リン酸塩（Na)、調味料（アミノ酸)、酸化防止剤（ビタミン C)、コチニール色素

■【表示例2】原材料と添加物を改行して表示

原材料名	豚ばら肉、砂糖、食塩、卵たん白、植物性たん白、香辛料 リン酸塩（Na)、調味料（アミノ酸)、酸化防止剤（ビタミン C)、コチニール色素

■【表示例3】原材料と添加物を別欄表示

原材料名	豚ばら肉、砂糖、食塩、卵たん白、植物性たん白、香辛料
	リン酸塩（Na)、調味料（アミノ酸)、酸化防止剤（ビタミン C)、コチニール色素

6. 内容量または固形量および内容総量　共通ルール

計量法により規定のない食品は、内容重量（グラムまたはキログラム単位)、内容体積（ミリリットルまたはリットル）または内容数量（個数等）を表示します。

また、固形物に充てん液を加えて密封したものは、固形量や内容総量を表示する場合があります。固形量はグラムまたはキログラム単位で、内容総量はグラムまたはキログラム単位で、単位を明記して表示します。

ただし、食品表示基準別表4で、別途内容量の表示方法が定められている食品はそれに従って表示しなければなりません。

7. 栄養成分の量および熱量　共通ルール

栄養成分表示は、健康で栄養バランスがとれた食生活を営むことの重要性を消費者自らが意識し、商品選択に役立てることで適切な食生活を実践する契機となる効果が期待されること、および国際的にもコーデックス委員会において「栄養表示に関するガイドライン」の見直しが行われ、あらかじめ包装された食品の栄養表示を義務とすべき旨が追記されたこと等を踏まえ、原則として、全ての一般用加工食品および一般販売用の添加物に栄養成分表示が義務付けられています。

【基本の表示】

栄養成分表示（1袋当たり）	
熱量	●●kcal
たんぱく質	▲▲g
脂質	◆◆g
炭水化物	■■g
食塩相当量	★★g

ナトリウムの量は、消費者にとってわかりやすい「食塩相当量」で表示します（ナトリウム塩を添加していない食品にのみナトリウムの量を併記することができます）。

たんぱく質、脂質、炭水化物およびナトリウム以外の栄養成分については食品表示基準第7条（任意表示）に定められているところによって任意に表示することができます。

8. 食品関連事業者の氏名または名称および住所、製造所または加工所の所在地および製造者または加工者の氏名または名称　共通ルール

食品関連事業者のうち表示内容に責任を有する者の氏名または名称および住所を表示します。

2-2　一定の要件に該当する場合に表示が必要な事項（第３条第２項）

1. アレルゲン（特定原材料）　一定の要件に該当する場合に表示

特定原材料（えび、かに、小麦、そば、卵、乳、落花生）を含む食物を摂取等した際、身体が食物（に含まれるタンパク質等）を異物として認識し、自分の身体を防御するために過敏な反応を起こすことを食物アレルギーといいます。特定のアレルギー体質を持つ消費者の健康危害の発生を防止する観点から、過去の健康危害等の程度、頻度を考慮し、容器包装された加工食品には特定原材料を使用した旨の表示が義務付けられています。

また、「食品表示基準について」（平成27年3月30日消食表第139号消費者庁次長通知）で定める特定原材料に準ずるものを原材料とする加工食品には、アレルゲンの表示が推奨されています。

義務表示	特定原材料 （７品目）	えび、かに、小麦、そば、卵、乳、落花生
推奨表示	通知に定める特定原材料に準ずるもの （21品目）	アーモンド、あわび、いか、いくら、オレンジ、カシューナッツ、キウイフルーツ、牛肉、くるみ、ごま、さけ、さば、大豆、鶏肉、バナナ、豚肉、まつたけ、もも、やまいも、りんご、ゼラチン

① アレルギー表示における原則的な表示方法（個別表示）

表示の方法は、特定原材料および特定原材料に準ずるもの（以下、「特定原材料等」という。）を原材料として含んでいる場合は、原則として原材料名の直後に括弧を付けて特定原材料等を含む旨を表示します（個別表示の原則)。この、含む旨の表示は「(○○を含む)」(「○○」には特定原材料等名を表示。以下同じ）と表示します。

※特定原材料のうち「乳」は「(乳成分を含む)」と表示します。

※特定原材料等に由来する添加物を含んでいる場合は、原則、その添加物の物質名の直後に括弧を付けて特定原材料等に由来する旨を表示します。この由来する旨の表示は、「(○○由来)」と表示し、特定原材料のうち「乳」は「(乳由来)」と表示します。

■ 個別表示の表示例

原材料名	○○○(△△△、<u>ごま油</u>)、<u>ゴマ</u>、□□、×××、**醤油（大豆・小麦を含む)、マヨネーズ（大豆・卵・小麦を含む)、たん白加水分解物（大豆を含む)、卵黄（卵を含む)**、食塩、◇◇◇、**酵母エキス（小麦を含む）**／調味料（アミノ酸等)、増粘剤（キサンタンガム)、甘味料（ステビア)、**◎◎◎◎(大豆由来)**

↑特定原材料等に由来する添加物

■ 一括表示の表示例(※例外的に個別表示によりがたい場合やなじまない場合など)

原材料名	○○○(△△△、<u>ごま油</u>)、<u>ゴマ</u>、□□、×××、**醤油、マヨネーズ、たん白加水分解物、卵黄**、食塩、◇◇◇、**酵母エキス**／調味料（アミノ酸等)、増粘剤（キサンタンガム)、甘味料（ステビア)、**◎◎◎◎**、**(一部に小麦・卵・ごま・大豆を含む)**

↑特定原材料等を一括表示

２種類以上の原材料または添加物を使用し、同一の特定原材料等が含まれている場合は、そのうちいずれかに特定原材料等を含む旨または由来する旨を表示すれば、それ以外の原材料または添加物のアレルゲン表示は省略することができます。

原材料名	○○○(△△△、<u>ごま油</u>)、<u>ゴマ</u>、□□、×××、**醤油（大豆・小麦を含む)、マヨネーズ（卵を含む)、たん白加水分解物、卵黄**、食塩、◇◇◇、**酵母エキス**／調味料（アミノ酸等)、増粘剤（キサンタンガム)、甘味料（ステビア)、**◎◎◎◎**

※太字は、特定原材料等を含む食品です。

※<u>下線</u>は代替表記および拡大表記である食品です。

※実際の表示では太字にしたり、下線を表示する必要はありません。

2. L-フェニルアラニン化合物を含む旨　一定の要件に該当する場合に表示

アスパルテームを含む食品については、L-フェニルアラニン化合物を含む旨の表示が必要です。

3. 特定保健用食品（トクホ）　一定の要件に該当する場合に表示

特定保健用食品とは、からだの生理学的機能などに影響を与える保健機能成分を含む食品をさし、血圧、血中のコレステロールなどを正常に保つことを助けたり、胃腸の調子を整えたりするのに役立つなどの健康の維持増進に役立つことが科学的根拠に基づいて認められ表示が許可されている食品です。

特定保健用食品として販売するためには、製品ごとに食品の有効性や安全性について審査を受け、表示について国の許可を受けなければなりません。特定保健用食品および条件付き特定保健用食品には、許可マークが付されています。

消費者庁許可
特定保健用食品

〈表示事項〉

ア. 特定保健用食品である旨

イ. 許可等を受けた表示の内容

ウ. 栄養成分（関与成分を含む）の量および熱量

エ. 一日当たりの摂取目安量

オ. 摂取の方法

カ. 摂取をする上での注意事項

キ. バランスのとれた食生活の普及啓発を図る文言

ク. 関与成分について栄養素等表示基準値が示されている場合は、一日当たりの摂取目安量に含まれる当該関与成分の栄養素等表示基準値に対する割合

ケ. 調理または保存の方法に関し特に注意を必要とするものにあっては
その注意事項

4. 機能性表示食品　一定の要件に該当する場合に表示

国の定めるルール(「機能性表示食品の届出等に関するガイドライン」)に基づき、事業者が食品の安全性と機能性に関する科学的根拠などの必要な事項を、販売を予定する日の60日前までに消費者庁長官に届け出れば、機能性関与成分によって健康の維持および増進に資する特定の保健の目的(疾病リスクの低減に係るものを除く。)が期待できる旨を容器包装に表示することができます。

〈表示事項〉

ア. 機能性表示食品である旨

イ. 科学的根拠を有する機能性関与成分および当該成分または当該成分を含有する食品が有する機能性

ウ. 栄養成分の量および熱量

エ. 一日当たりの摂取目安量当たりの機能性関与成分の含有量

オ. 一日当たりの摂取目安量

カ. 届出番号

キ. 食品関連事業者の連絡先として、電話番号

ク. 機能性および安全性について国による評価を受けたものではない旨

ケ. 摂取の方法

コ. 摂取をする上での注意事項

サ. バランスのとれた食生活の普及啓発を図る文言

シ. 調理または保存の方法に関し特に注意を必要とするものにあっては当該注意事項

ス. 疾病の診断、治療、予防を目的としたものではない旨

セ．疾病に罹患している者、未成年者、妊産婦（妊娠を計画している者を含む。）および授乳婦に対し訴求したものではない旨

ソ．疾病に罹患している者は医師、医薬品を服用している者は医師、薬剤師に相談した上で摂取すべき旨

タ．体調に異変を感じた際は速やかに摂取を中止し医師に相談すべき旨

5. 遺伝子組替え食品に関する事項 一定の要件に該当する場合に表示

遺伝子組換え（組換え DNA 技術応用）食品とは、他の生物から有用な性質を持つ遺伝子を取り出し、その性質を持たせたい植物などに組み込む技術（遺伝子組換え技術）を利用して作られた食品をいいます。

大豆・とうもろこしなどの遺伝子組換え農産物およびその加工食品については、基準に基づく表示が必要です。

- ●大豆、とうもろこし等の農産物およびその加工食品のうち食品表示基準別表第16および別表第17に掲げる8作物および33食品群（p.21表1）については、「遺伝子組換えのものを分別」、「遺伝子組換え不分別」等の表示が義務付けられています。
- ●表示基準別表第18に掲げる高オレイン酸遺伝子組換え大豆等を使用した加工食品（大豆油等）については、「高オレイン酸遺伝子組換え」、「高オレイン酸遺伝子組換えのものを混合」等の表示が義務付けられています。
- ●分別生産流通管理された非遺伝子組換え農産物およびその加工品については、遺伝子組換え食品に関する事項を表示する義務はありませんが、任意で「非遺伝子組換え」、「遺伝子組換えでない」等の表示ができます。

●大豆ととうもろこしについては分別生産流通管理を行っても意図せざる遺伝子組換え農産物の一定の混入の可能性は避けられないことから、分別生産流通管理が適切に行われている場合には、5%以下の一定率の意図せざる混入があれば、「○○(分別生産流通管理済み)」等の表示ができます。

表1　遺伝子組換え義務表示の対象となる食品およびその加工品

〈農産物　8 作物〉

大豆（枝豆および大豆もやしを含む。)、とうもろこし、ばれいしょ、なたね、綿実、アルファルファ、てん菜、パパイヤ

〈加工食品　33 食品群〉

● 大豆

1 豆腐・油揚げ類
2 凍り豆腐、おからおよびゆば
3 納豆
4 豆乳類
5 みそ
6 大豆煮豆
7 大豆缶詰および大豆瓶詰
8 きなこ
9 大豆いり豆
10 1から9までに掲げるものを主な原材料とするもの
11 調理用の大豆を主な原材料とするもの
12 大豆粉を主な原材料とするもの
13 大豆たんぱくを主な原材料とするもの
14 枝豆を主な原材料とするもの
15 大豆もやしを主な原材料とするもの

● とうもろこし

1 コーンスナック菓子
2 コーンスターチ
3 ポップコーン
4 冷凍とうもろこし
5 とうもろこし缶詰およびとうもろこし瓶詰
6 コーンフラワーを主な原材料とするもの
7 コーングリッツを主な原材料とするもの（コーンフレークを除く。)
8 調理用のとうもろこしを主な原材料とするもの
9 1 から 5 までに掲げるものを主な原材料とするもの

● ばれいしょ

1 ポテトスナック菓子
2 乾燥ばれいしょ
3 冷凍ばれいしょ
4 ばれいしょでん粉
5 調理用のばれいしょを主な原材料とするもの
6 1 から 4 までに掲げるものを主な原材料とするもの

● アルファルファ

アルファルファを主な原材料とするもの

● てん菜

調理用のてん菜を主な原材料とするもの

● パパイヤ

パパイヤを主な原材料とするもの

表示の方法

❶ 従来のものと組成、栄養価等が同等のもの

（除草剤の影響を受けないようにした大豆、害虫に強いとうもろこしなど）

1）農産物およびこれを原材料とする加工食品で、加工後も組み換えられたDNAまたはこれにより生じたタンパク質が検出可能とされているもの

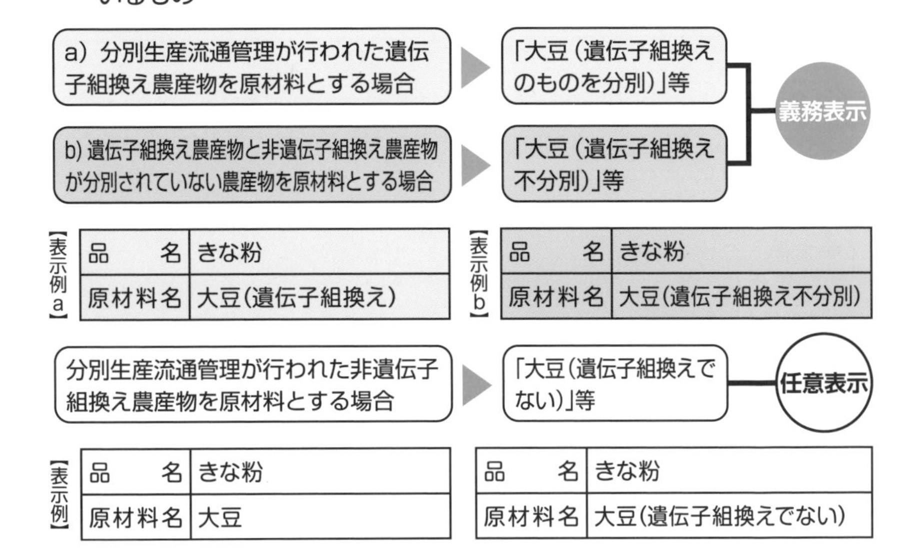

【表示例a】

品　　名	きな粉
原材料名	大豆（遺伝子組換え）

【表示例b】

品　　名	きな粉
原材料名	大豆（遺伝子組換え不分別）

【表示例】

品　　名	きな粉
原材料名	大豆

品　　名	きな粉
原材料名	大豆（遺伝子組換えでない）

2）組み換えられたＤＮＡおよびこれによって生じたタンパク質が、加工後に最新の検出技術によっても検出できない加工食品（大豆油、しょうゆ、コーン油、異性化液糖等）

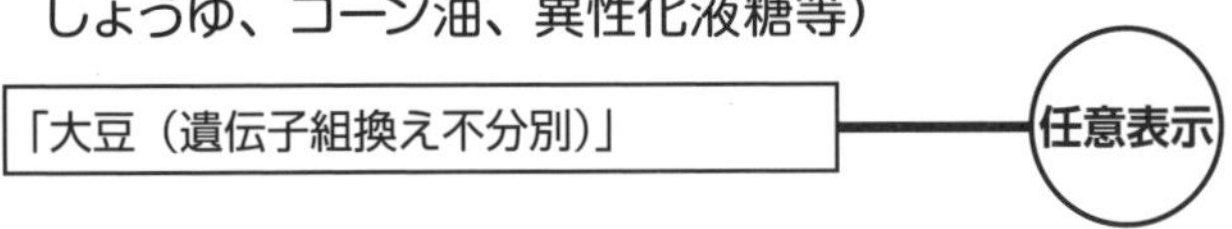

❷ 従来のものと組成、栄養価等が著しく異なるもの

高オレイン酸大豆、高リシンとうもろこし、ステアリドン酸産生大豆

▶ 「大豆（高オレイン酸遺伝子組換え）」等の義務表示

6. 乳児用規格適用食品　一定の要件に該当する場合に表示

基準の対象となる乳児用食品の範囲は、食品、添加物等の規格基準（昭和 34 年厚生省告示第 370 号）において規定された「乳児用食品」の対象である食品と同じで、1歳未満の乳児を対象としています。乳児用規格適用食品である旨の表示は、原則的に「乳児用規格適用食品」と表示しますが、「本品は（食品衛生法に基づく）乳児用規格適用食品です。」、「乳児用規格適用」等の表示をすることもできます。

7. 原料原産地名　一定の要件に該当する場合に表示

平成 29 年 9 月 1 日に食品表示基準が改正・施行され、全ての加工食品を対象に原料原産地表示が義務付けられました。なお、本改正への対応のために令和 4 年 3 月 31 日まで経過措置期間が設けられています。

① 対象となる食品

国内で製造された全ての加工食品（輸入品は除く）が対象となります。

② 対象となる原材料（対象原材料）

・使用した原材料に占める重量割合が最も高い原材料（重量割合上位 1位の原材料）。

・食品表示基準別表第 15 の 1 に掲げられている 22 食品群については、従前通り原材料に占める重量割合が 50%以上であるもの（なお、重量割合上位 1 位の原材料が 50%未満のものについては新しい原料原産地表示制度の対象となります）。

・食品表示基準別表第 15 の 2～6 の 5 品目については、個別に規定が設けられ、下記の通り対象原材料が定められています。

1) 2 農産物漬物は、重量割合上位 4 位 (または 3 位) かつ 5% 以上の原材料

2) 3 野菜冷凍食品は、重量割合上位 3 位かつ 5% 以上の原材料

3) 4 うなぎ加工品は、うなぎ

4) 5 かつお削りぶしは、かつおのふし

5) 6 おにぎりは、のり

● 食品表示基準　別表第 15 ●

1 次に掲げるもののうち、原材料および添加物に占める重量の割合が最も高い生鮮食品（(5) の緑茶および緑茶飲料にあっては荒茶の原材料、(6) のもちにあっては米穀、(8) の黒糖および黒糖加工品にあっては黒糖の原材料、(9) のこんにゃくにあってはこんにゃくいも（こんにゃくの原材料であるこんにゃく粉の原材料として用いられたこんにゃくいもを含む。)、(18) のこんぶ巻にあってはこんぶに限る。）の当該割合が五十パーセント以上であるもの

(1) 乾燥きのこ類、乾燥野菜および乾燥果実（フレーク状または粉末状にしたものを除く。）

(2) 塩蔵したきのこ類、塩蔵野菜および塩蔵果実（農産物漬物を除く。）

(3) ゆで、または蒸したきのこ類、野菜および豆類並びにあん（缶詰、瓶詰およびレトルトパウチ食品に該当するものを除く。）

(4) 異種混合したカット野菜、異種混合したカット果実その他野菜、果実およびきのこ類を異種混合したもの（切断せずに詰め合わせたものを除く。）

(5) 緑茶および緑茶飲料

(6) もち

(7) いりさや落花生、いり落花生、あげ落花生およびいり豆類

(8) 黒糖および黒糖加工品

(9) こんにゃく

(10) 調味した食肉（加熱調理したものおよび調理冷凍食品に該当するものを除く。）

(11) ゆで、または蒸した食肉および食用鳥卵（缶詰、瓶詰およびレトルトパウチ食品に該当するものを除く。）

(12) 表面をあぶった食肉

(13) フライ種として衣をつけた食肉（加熱調理したものおよび調理冷凍食品に該当するものを除く。）

(14) 合挽肉その他異種混合した食肉（肉塊または挽肉を容器に詰め、成形したものを含む。）

(15) 素干魚介類、塩干魚介類、煮干魚介類およびこんぶ、干のり、焼きのりその他干した海藻類（細切若しくは細刻したものまたは粉末状にしたものを除く。）

(16) 塩蔵魚介類および塩蔵海藻類

(17) 調味した魚介類および海藻類（加熱調理したものおよび調理冷凍食品に該当するもの並びに缶詰、瓶詰およびレトルトパウチ食品に該当するものを除く。）

(18) こんぶ巻

(19) ゆで、または蒸した魚介類および海藻類（缶詰、瓶詰およびレトルトパウチ食品に該当するものを除く。）

(20) 表面をあぶった魚介類

(21) フライ種として衣をつけた魚介類（加熱調理したものおよび調理冷凍食品に該当するものを除く。）

(22) (4) または (14) に掲げるもののほか、生鮮食品を異種混合したもの（切断せずに詰め合わせたものを除く。）

2 農産物漬物

3 野菜冷凍食品

4 うなぎ加工品

5 かつお削りぶし

6 おにぎり（米飯類を巻く目的でのりを原材料として使用しているものに限る。）

③ 表示方法

1) 国別重量順表示

概要：対象原材料の産地は「国別重量順表示」を原則とします。

この場合、対象原材料の産地について、国別に重量の割合の高いものから順に国名を「、(読点)」でつないで表示します。

産地が 3 か国以上ある場合は、3 位 以下の原産地を「その他」と表示することができます。

■一括表示枠内に原料原産地名欄を設けた場合の表示例

[1か国を使用した場合]

名　　　称：ウインナーソーセージ
原 材 料 名：**豚肉**、豚脂肪、たん白加水分解物、…………
原料原産地名：**アメリカ（豚肉）**

[2か国を使用した場合]

名　　　称：ウインナーソーセージ
原 材 料 名：**豚肉**、豚脂肪、たん白加水分解物、…………
原料原産地名：**アメリカ、カナダ（豚肉）**

[3か国以上使用し、3か国目以降を「その他」と括った場合]

名　　　称：ウインナーソーセージ
原 材 料 名：**豚肉**、豚脂肪、たん白加水分解物、…………
原料原産地名：**アメリカ、カナダ、その他（豚肉）**

■原材料名欄に原材料の次に括弧書きをした場合の表示例

[1か国を使用した場合]

名　　　称：ウインナーソーセージ
原 材 料 名：**豚肉（アメリカ）**、豚脂肪、たん白加水分解物、…………

■一括表示枠内に表示することが困難で、記載箇所を明記のうえで別の箇所に表示した場合の表示例

[4か国を使用し、3か国目以降を「その他」と括らない場合]

名　　　称：ウインナーソーセージ
原 材 料 名：**豚肉**、豚脂肪、たん白加水分解物、…………
原料原産地名：**枠外下部に記載**

原料原産地名：**日本、アメリカ、カナダ、メキシコ**

注：太字は表示の特徴を強調するために示しているものであり、実際の製品への表示では太くする必要はありません（本項の以降の表示例についても同じ）。

2) 又は表示や大括り表示

・今後の1年間で国別の重量順位の変動や産地切替えが行われる見込があり、国別重量順表示が困難な場合、「又は表示」、「大括り表示」、「大括り表示＋又は表示」が条件に従い認められます。

・いずれも、当該表示に至った根拠書類の保管が必要です。

■ **又は表示**（食品表示基準3条2項の表の原料原産地名欄の1の五のイ）

概要：使用予定の産地を「又は」でつないで表示する方法です。

例えば、「A国又はB国」と表示した場合、「A国のみ」、「B国のみ」、「A国、B国」、「B国、A国」の4パターンの意味を示すため、実際に使用する原材料の産地がこの範囲であれば、表示の切替えが不要となります。また、「A国又はB国」と表示した場合、A国、B国以外のC国等は含まないことを示します。

■一括表示枠内に原料原産地名欄を設けた場合の表示例

名　　　称：ウインナーソーセージ
原 材 料 名：**豚肉**、豚脂肪、たん白加水分解物、…………
原料原産地名：**アメリカ又はカナダ（豚肉）**

※豚肉の産地は、昨年度の使用実績順によるものです。

■3か国以上使用し、3か国目以降を「その他」と括った場合の表示例

名　　　称：ウインナーソーセージ
原 材 料 名：**豚肉**、豚脂肪、たん白加水分解物、…………
原料原産地名：**アメリカ又はカナダ又はその他（豚肉）**

※豚肉の産地は、昨年度の使用実績順によるものです。

■原材料名欄に原材料の次に括弧書きをした場合の表示例

名　　　称：ウインナーソーセージ
原 材 料 名：**豚肉（アメリカ又はカナダ）**、豚脂肪、たん白加水分解物、………

※豚肉の産地は、昨年度の使用実績順によるものです。

■使用割合が5％未満の産地がある場合の表示例

名　　　称：ウインナーソーセージ
原 材 料 名：**豚肉**、豚脂肪、たん白加水分解物、…………
原料原産地名：**アメリカ又はカナダ又は日本（5％未満）（豚肉）**

※豚肉の産地は、昨年度の使用実績順・割合によるものです。

※一定期間使用割合の高いものから順に表示した旨の注意書きが必要

■ 大括り表示（食品表示基準 3 条 2 項の表の原料原産地名欄の 1 の五の口）

概要：使用予定の産地が外国 3 か国以上の場合、3 以上の外国の産地表示を「輸入」と表示する方法です。

■国産を含まず、3か国以上の輸入品を「輸入」と括って原料原産地名欄に表示した場合の表示例

名　　　称	ウインナーソーセージ
原 材 料 名	**豚肉**、豚脂肪、たん白加水分解物、…………
原料原産地名	**輸入（豚肉）**

■国産と3か国以上の輸入品を使用し、3か国以上の輸入品の合計が国産よりも多い場合の表示例*

名　　　称	ウインナーソーセージ
原 材 料 名	**豚肉**、豚脂肪、たん白加水分解物、…………
原料原産地名	**輸入、国産（豚肉）**

■国産を含まず、3か国以上の輸入品を「輸入」と括って原材料名欄に表示した場合の表示例

名　　　称	ウインナーソーセージ
原 材 料 名	**豚肉（輸入）**、豚脂肪、たん白加水分解物、…

■国産と3か国以上の輸入品を使用し、国産が3か国以上の輸入品の合計よりも多い場合の表示例*

名　　　称	ウインナーソーセージ
原 材 料 名	**豚肉**、豚脂肪、たん白加水分解物、…………
原料原産地名	**国産、輸入（豚肉）**

＊3か国以上の外国の産地を「輸入」と括ったうえで、「輸入」と「国産」を、一定期間使用割合の高いものから順に「、」でつないで表示

＜原料原産地表示の対象外＞

（ア）加工食品を設備を設けて飲食させる場合（外食）（基準 1 条）
（イ）容器包装に入れずに販売する場合（基準 3 条）
（ウ）他法令によって表示が義務付けられている場合（基準 3 条）
　i)「酒税の保全及び酒類業組合等に関する法律」（昭和 28 年法律 7 号）例：ワインなど
　ii)「米穀等の取引等に係る情報の記録及び産地情報の伝達に関する法律」（平成 21 年法律 26 号）
　　例：米加工品など
（エ）食品を製造し、又は加工した場所で販売する場合（基準 5 条）
（オ）不特定又は多数の者に対して譲渡（販売を除く。）する場合（基準 5 条）

＜原料原産地表示を省略できるもの＞

（カ）容器包装の表示可能面積がおおむね 30 cm² 以下の場合（基準 3 条）

■ 大括り表示+又は表示(食品表示基準 3 条 2 項の表の原料原産地名欄の 1 の五のハ)

概要：対象原材料の産地が国産および 3 か国以上の外国である場合で、かつ、国産と輸入の間で重量順の変動が見込まれる場合、「輸入又は国産」、「国産又は輸入」と表示する方法です。

■国産と3か国以上の輸入品を使用し、3か国以上の輸入品の合計が国産よりも多い場合（原料原産地名欄に表示）の表示例

名　　　称	：ウインナーソーセージ
原 材 料 名	：**豚肉**、豚脂肪、たん白加水分解物、…………
原料原産地名	：**輸入又は国産（豚肉）**

※豚肉の産地は、昨年度の使用実績順によるものです。

■国産と3か国以上の輸入品を使用し、3か国以上の輸入品の合計が国産よりも多い場合（原材料名欄に表示）の表示例

名　　　称	：ウインナーソーセージ
原 材 料 名	：**豚肉（輸入又は国産）**、豚脂肪、たん白加水分解物、…………

※豚肉の産地は、昨年度の使用実績順によるものです。

■国産と3か国以上の輸入品を使用し、国産が3か国以上の輸入品の合計よりも多い場合の表示例

名　　　称	：ウインナーソーセージ
原 材 料 名	：**豚肉**、豚脂肪、たん白加水分解物、…………
原料原産地名	：**国産又は輸入（豚肉）**

※豚肉の産地は、昨年度の使用実績順によるものです。

■使用割合が5%未満の産地がある場合の表示例

名　　　称	：ウインナーソーセージ
原 材 料 名	：**豚肉**、豚脂肪、たん白加水分解物、…………
原料原産地名	：**輸入又は日本（5%未満）（豚肉）**

※豚肉の産地は、昨年度の使用実績順・割合によるものです。

※一定期間使用割合の高いものから順に表示した旨の注意書きが必要

※３か国以上の外国の産地を「輸入」と括ったうえで、「輸入」と「国産」を、一定期間使用割合の高いものから順に「又は」でつないで表示

■ その他

・重量割合上位１位の原材料が加工食品の場合は、原則としてその製造地を「○○製造」と表示します。

例）　原材料名　チョコレート（ベルギー製造）